Aschaffenburg

Sachbuchverlag Karin Mader

Fotos und Texte:
Neumark / Mader

Foto Seite 4/5:
Deutsche Luftbild KG, Hamburg

Fotos Seite 25 + 40:
Archiv der Stadt Aschaffenburg

Übersetzungen:
Englisch: Michael Meadows
Französisch: Mireille Patel

Grasberg 1992

Printed in Germany

ISBN 3-921957-64-8

In dieser Serie sind erschienen:

Aschaffenburg
Baden-Baden
Bad Oeynhausen
Bad Pyrmont
Bochum
Braunschweig
Bremen
Celle
Darmstadt
Darmstadt und der Jugendstil
Duisburg
Die Eifel
Eisenach
Erfurt
Essen
Flensburg
Fulda
Gießen
Göttingen
Hagen
Hamburg
Heidelberg
Herrenhäuser Gärten
Hildesheim
Kaiserslautern
Karlsruhe
Kiel
Koblenz
Krefeld
Das Lipperland
Lübeck
Lüneburg
Mannheim
Mainz
Marburg
Minden
Münster
Oldenburg
Paderborn
Recklinghausen
Der Rheingau
Rostock
Rügen
Schwerin
Siegen
Sylt
Ulm
Wiesbaden
Würzburg
Wuppertal

Titelbild:
Schloß Johannisburg

schaffenburg – „Pforte zum Spessart"
nannt – ist Kultur- und Wirtschaftszentrum
n bayrischen Untermain. Dicht nebenein-
der sind Vergangenheit und Zukunft zu
nden: hier erhaltene und wieder aufgebaute
eugnisse unterschiedlicher Stilepochen –
wirtschaftliches und industrielles Engage-
ent. Einge der charakteristischen Seiten
eser Stadt darzustellen, soll das Anliegen
eses Bildbandes sein – für alle, die Aschaf-
nburg noch nicht kennen, für jene aber
ch, die hier zu Hause sind, die ihre Stadt
eben.

Aschaffenburg – called the „gate to Spessart" – is a cultural and economic center on the Bavarian Lower Main. Past and future can be found in direct proximity to one another: here preserved and rebuilt testimonies to various periods of style – there economic and industrial activity. The purpose of this illustrated book is to portray some of the characteristic aspects of this city – for all those who do not yet know Aschaffenburg, but also for those who live here and love their city.

Aschaffenburg –«porte sur le Spessart» – est un centre culturel et économique sur le bas Mein bavarois. Le passé et l'avenir s'y côtoient: ici des témoins du style de diverses époques, préservés ou reconstruits – là des réalisations économiques et industrielles. Ce volume se propose de montrer quelques-unes des caractéristiques de cette ville, a tous ceux qui ne la connaissent pas encore et aussi à ceux qui y habitent et qui l'aiment.

Aschaffenburg heute

Angeschmiegt an die Ufer des Mains liegt die Stadt, die auf eine über 1000jährige Geschichte zurückblicken kann. Inzwischen auf rund 60000 Einwohner angewachsen, zeigt sie sich dem Fluggast als vorwiegend grüne Stadt, eingebettet in eine herrliche Landschaft.

The city, which can look back upon a more than one-thousand-year-old history, lies nestled on the banks of the Main. In the meantime the population has grown to about 60,000 and the city displays itself to airplane passengers as a predominantly green city, situated in a marvelous landscape.

La ville, blottie sur la rive du Mein, a une histoire vieille de plus de mille ans. Bien qu'elle ait atteint une population de 60000 habitants, elle apparaît, quand on la survole, comme une ville très verte, su sein d'un merveilleux paysage.

In autofreien Fußgängerzonen, aufgelockert durch farbenfroh bepflanzte Blumenschalen, mit Springbrunnen und Bänken für die kleine Pause zwischendurch, läßt es sich gut einkaufen oder nur mal bummeln gehn.
(Bilder: Herstallstraße)

It is pleasant to go shopping or just strolling in car-free pedestrian zones, varied by colourful flowers and flower-pots, fountains and benches for a break in between. (Pictures: Herstallstrasse)

Dans la zone piétonne, égayée de massifs de fleurs multicolores, de fontaines et de bancs, où l'on peut se reposer un moment, il est agréable de faire des emplettes et de flâner (Photo: Herstallstrasse).

Yves Rocher
Treffpunkt Schönheit
Strauss-
Apotheke

Gepflegte Grünanlagen für die Pause zwischen den Terminen oder nach dem Einkauf trennen die Weißenburger- von der Friedrich-

Well-tended green grounds for the break between appointments or after shopping separate Weissenburger Strasse from Fried-

Des jardins soignés qui invitent à faire une pause entre les rendez-vous et les achats séparent la Weissenburger Strasse de la Fried-

straße. Beide Straßen (Bild oben: Weißenburger Straße) werden von teils eindrucksvollen Bauten mit Einzelhandelsgeschäften, Dienstleistungsunternehmen und Büroetagen gesäumt.

richstrasse. Both streets (picture above: Weissenburger Strasse) are bordered by, in part, impressive buildings with retail shops, service enterprises and office floors.

richstrasse (ci-dessus: Weissenburger Strasse). Ces deux rues sont bordées d'édifices impressionnants qui abritent des commerces de détail, des entreprises de service et des bureaux.

Nicht nur die faszinierende architektonische Lösung der City-Galerie beeindruckt immer wieder ihre Besucher, auch das verführerische Warenangebot, gleich ob im Delikatessengeschäft, in den Boutiquen oder im Warenhaus ist beachtlich.

Not only the fascinating architectural design of the City-Galerie impresses its visitors again and again, the tempting selection of goods, whether in the delicatessen, in the boutiques or in the department store, is also considerable.

L'architecture de la City-Galerie n'est pas la seule chose qui fascine le visiteur. Le choix des marchandises, qu'elles soient offertes par les «delicatessen», les boutiques ou les grands magasins est impressionnant.

Cafe

Als Verwaltungssitz des Landkreises Aschaffenburg hat die Stadt mit der Zeit Schritt gehalten. Moderne Bauten und Verkehrswege stehen in Harmonie mit der gewachsenen und wiederhergestellten Altstadt.

As administrative seat of the state district of Aschaffenburg, the city has kept abreast of the times. Modern edifices and traffic arteries blend harmoniously with the historical and rebuilt Old Town.

La ville, siège de l'administration du district d'Aschaffenburg vit avec son temps. Des édifices modernes et des grandes artères ne détruisent pas l'harmonie de la vieille ville reconstruite.

Außer kommunalen Einrichtungen und wichtigen Behörden bilden die unterschiedlichen Fach- und allgemeinbildenden Schulen zusammen mit einer breit gefächerten Industrie die Schwerpunkte der Stadt. (Oben: Das Rathaus)

In addition to municipal institutions and important government agencies, the various specialized and general education schools along with a broad range of industry form the focal points of the city. (Above: the Town Hall)

Les institutions communales et les administrations, les grandes écoles et des industries très diversifiées caractérisent l'activité économique de la ville. (Ci-dessus: l'hôtel de ville)

Erinnerungen an Gestern

Der 1545 erbaute Herstallturm, im Volksmun
auch liebevoll „Herschelturm" genannt, ist der Vorturm des ehemaligen Herstalltores, das am Ende des 19. Jh. abgetragen wurde.

The Herstall Tower, built in 1545 and also affectionately called „Herschelturm" in the vernacular, is the front tower of the former Herstall Gate, which was demolished at the end of the 19th century.

La Herstallturm, construite en 1545 et nommée avec affection en langue populaire «Herschelturm», est la tour de l'ancien Herstalltor, qui fut démoli à la fin du XIXème siècle.

Aus der Stadtmitte auf die Großmutterwiese verlegt, steht der Ludwigsbrunnen, den die Einwohner im 19. Jh. zur Erinnerung an König Ludwig I. der Stadt Aschaffenburg schenkten.

The Ludwig Fountain, which was donated to the city of Aschaffenburg by the residents in memory of King Ludwig I in the 19th cent., was relocated from the city center to the „Großmutterwiese".

Le Ludwigsbrunnen, déplacé du centre de la ville dans le «Großmutterwiese». Il fut offert par les habitants à la ville afin de célébrer la mémoire du roi Louis I.

Nicht nur das monumentale Renaissance-Schloß Johannisburg, Wahrzeichen der Stadt, bildet die Kulisse Aschaffenburgs – auch die vielen kleinen Fachwerkhäuser aus vergangenen Tagen prägen das Gesicht der Altstadt.

Not only the monumental Renaissance Johannisburg Palace, landmark of the city, forms the panorama of Aschaffenburg – the many small half-timbered houses of times past also characterize the face of the Old Town.

Le monumental château Renaissance Johannisburg, emblème de la ville, n'en constitue pas à lui seul le décor de la ville. Les nombreuses petites maisons du temps jadis contribuent aussi à former le visage de la vieille ville.

Im Zuge der Sanierung alten, wertvollen Baubestandes wird auch in dieser Stadt manch schönes altes Haus vor Verfall und dem dann notwendigen Abriß gerettet.
Die geschlossenste Gruppierung von erhaltenen und wiederaufgebauten Fachwerkhäusern findet man in der Kleinen Metzgergasse und in der Dalbergstraße (siehe Bilder).

During renovation of old, valuable buildings, many a beautiful, old house is saved from decay and the then necessary demolition in this city.
The most harmonious grouping o preserved and rebuilt half-timbered houses can be found in Kleine Metzgergasse and in Dalbergstraße (see pictures).

De nombreuses vieilles demeures ont été assainies et ainsi préservées du délabrement et de la démolition.
L'ensemble le plus homogène de maisons à colombage, conservées ou reconstruites se trouve dans la Kleine Metzgergasse et la Dalbergstrasse (voir photos).

Der ehemalige Schönbornhof wurde 1668/1681 von Pater Matthias aus Saarburg für den Obersthofmarschall Melchior Friedrich von Schönborn erbaut und 1951 wiederhergestellt. In ihm ist heute das naturwissenschaftliche Museum untergebracht.
Bild links: Die Pfaffengasse mit der Jesuitenkirche, die nach dem Prinzip römischer Barockarchitektur erbaut wurde und jetzt als Ausstellungsraum genutzt wird.

The former Schönbornhof was built by Pater Matthias from Saarburg for Marshal Colonel Melchior Friedrich von Schönborn in 1668/1681 and reconstructed in 1951. Today the Museum of Natural Science is located here.
Picture on left: Pfaffengasse with the Jesuit church which was built according to the principle of Roman baroque architecture and is now used as an exhibition room.

L'ancien Schönbornhof fut construit en 1668/1681 par le père Matthias de Saarburg pour le grand maréchal du palais Melchior Friedrich von Schönborn et reconstruit en 1951. Il accueille à présent le musée des Sciences Naturelles.
Photo à gauche: Pfaffengasse et l'église des Jésuites de style de baroque romain. Elle sert aujourd'hui de salle d'exposition.

Sehenswerte Anlagen

Hoch auf einem Felsmassiv über dem Main, ließ sich in den Jahren 1840-48, Bayernkönig Ludwig I. das Pompejanum erbauen. Es ist die freie Nachbildung des in Pompeji

High on a rocky mountain over the Main, the Bavarian king, Ludwig I, had the „Pompejanum" built for himself in the years 1840-48. It is a freehand replica of the residential house

Le Pompejanum, situé sur un rocher dominant le Mein, fut construit par le roi de Bavière Louis I, entre 1840 et 1848. C'est une libre imitation de la maison de Castor et Pollux,

usgegrabenen Wohnhauses des Castor und Pollux. Von der großartigen, südländisch nmutenden Gartenanlage mit Wasserspielen, Statuen und herrlichen Blumenanlagen kann nan einen wunderbaren Blick über den Main auf das südwestliche Aschaffenburg enießen.

of Castor and Pollux excavated in Pompeii. From the splendid garden grounds, creating an impression of more southerly lands, with fountains, statues and marvelous flower arrangements, one can enjoy a wonderful view over the Main to Aschaffenburg lying to the southwest.

mise à jour à Pompeïj. Du merveilleux jardin à l'aspect méridional avec ses jets d'eau, ses statues et ses merveilleux parterres de fleurs, on a une vue magnifique, au-delà du Mein, sur la partie sud-ouest d'Aschaffenburg.

Der älteste klassische Landschaftsgarten Deutschlands im englischen Stil ist Park Schönbusch. Mit dem „Friedensstempel" (Bild oben), „Irrgarten", „Philosophenhaus", „Dörfchen" oder dem klassizistischen „Schlößchen" aus dem späten 19. Jh. (Bild rechts), ist er ein beliebtes Ausflugsziel am Rande der Stadt.

The oldest classical landscape garden in Germany in the English style is Park Schönbusch. With the "Peace Temple" (piture above), "Maze", "Philosophers' House", "Little Village" or the classicist "Little Palace" dating from the late 19th cent. (picture on the right, it is a popular excursion point at the edge of the city.)

Le plus vieux jardin «à l'anglaise» d'Allemagne: le parc Schönbusch avec le «Friedenstempel» (photo ci-dessus), le «Irrgarten», la «Philosophenhaus», le «Dörfchen» ou le «Schlößchen» neo-classique de la fin du XIXème siècle (à droit), c'est un lieu d'excursion très apprécié à la limite de la ville

Sakrale Kostbarkeiten

Über eine Freitreppe gelangt man zur ehemaligen Stiftskirche St. Peter und Alexander. Die Gründung der Kirche, die zu den bedeutendsten Sakralbauten Frankens zählt, reicht bis in das 10. Jahrhundert zurück. Durch

One reaches the former collegiate church of St. Peter and Alexander over open stairs. The founding of the church, which numbers among the most significant sacral buildings of Franken, dates back to the 10th century.

Par un perron on parvient à l'ancienne église collégiale St. Peter et Alexandre. La fondation de cette église, l'un des édifices sacrés les plus fameux de Franconie, remonte au Xème siècle. Elle fut remaniée à diverses époques et

stetige Veränderungen vereinigt dieses Bauwerk alle klassischen Stilelemente in sich. Im Inneren als romanische Pfeilerbasilika begonnen – sind einmalige Kostbarkeiten zu entdecken: u. a. der barocke Hochaltar, ein

Through continual changes this edifice unites all classical elements of style. There are unique objects of value to be discovered on the inside, which was begun as a Romanic pillar-basilica: among other things the baroque

comprend des éléments de styles variés. L'intérieur de la basilique, commencée dans le style roman, comprend des oeuvres remarquables comme l'autel baroque, un crucifix en bois du XIIème siècle, la Piéta de Matthias

Holz-Kruzifix aus dem 12. Jh., die „Beweinung Christi" (1525), eines der ergreifendsten Werke Matthias Grünewalds, oder die reichen Gold- und Silberarbeiten in der Schatzkammer, so z. B. die Reliquienbüste des hl. Petrus

High Altar, a wooden crucifix from the 12th cent., the "Mourning of Christ" (1525), one of the most moving works of Matthias Grünewald, or the rich gold and silver work in the treasury, such as the relic bust of St. Peter.

Grünewald, datant de 1525, l'une de ses oeuvres les plus émouvantes ou encore les précieux objets d'argent et d'or dans le trésor de l'église comme, par exemple, le reliquaire de Saint Pierre, en forme de buste.

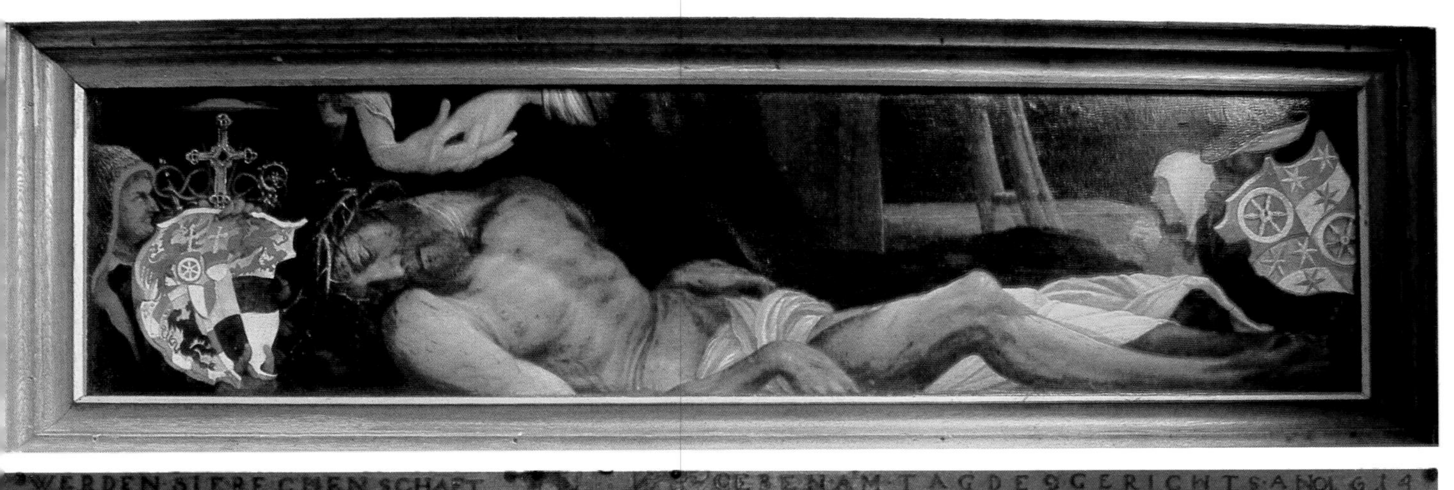

WERDEN SIE RECHENSCHAFT
GEBEN AM TAG DES GERICHTS

Die Muttergottespfarrkirche, Ende des 12. Jh. gegründet, ist eine Saalkirche, die in ihrer jetzigen Form im späten 18. Jh. erbaut wurde. Das Deckenfresko von Hermann Kaspar wurde 1967 fertiggestellt.

The "Muttergottespfarrkirche" (Mother of God Parish Church), founded at the end of the 12th cent., was built in its present form in the late 18th century. The ceiling fresco by Hermann Kaspar was completed in 1967.

La Muttergottespfarrkirche fut fondée à la fin du XIIème siècle. Sa forme actuelle remonte au XVIIIème siècle. La fresque du plafond fut exécutée en 1967 par Hermann Kaspar.

Rund ums Schloß

Schloß Johannisburg ist mit seiner vierflügeligen Anlage und seinen vier Ecktürmen eines der eindrucksvollsten Renaissance-Schlösser des Kontinents (1605-14). Der Turm im Nordwest-Flügel stammt noch vom Vorgängerbau aus gotischer Zeit.

Schloß Johannisburg with its multi-wing complex and its four corner towers is one of the most impressive Renaissance palaces of the Continent (1605-14). The tower in the northwest wing originates from the preceding edifice from Gothic times.

Le château Johannisburg, avec ses quatre ailes et ses quatre tours d'angle, est l'un des châteaux Renaissance les plus impressionnants du continent (1605-14). La tour de l'aile nord-ouest est un vestige de la construction gothique.

Im Inneren erinnern prunkvolle Wohnräume mit wertvollen Originalmöbeln an vergangene Tage aus der kurfürstlichen Zeit. Aber auch festliche Konzerte oder ein guter Tropfen aus der Staatlichen Weinkellerei finden im Schloß ihre Liebhaber.

Inside magnificent living rooms with valuable, original furniture reminds one of past days of the elector-princes. However, festival concerts or "a good drop" from the State Wine Cellar also find their lovers in the palace.

A l'intérieur, des salons d'apparat avec des meubles d'origine fastueux rappellent le temps des princes. Les amateurs de concerts s'y retrouvent, et, dans le cellier d'état, on peut déguster maints bons crus.

Die faszinierende Welt der Museen

Kunstfreunde bevorzugen im Schloß das Cranach-Zentrum in der Filial-Galerie der Bayerischen Staatsgemäldesammlungen.

Art lovers visiting the palace prefer the Cranach Center in the Filial-Galerie of the Bavarian State Painting Collections. Important

Dans le château, les amis de l'art préfèrent le Cranach-Zentrum dans la filial-Galerie de la Bayerische Staatsgemäldesammlung. Les

Wesentliche Werke des Meisters und seiner Schule sind hier auf konzentriertem Raum zu sehen. (Bild: Lukas Cranach d. Ä.: Frau mit Federhut)

works of the master and his school can be seen here concentrated together. (Picture: Lukas Cranach the Elder: Woman with Feather Hat)

oeuvres les plus importantes du maître et de son école peuvent être vues ici, dans un espace réduit. (Photo: Lukas Cranach le Vieux: La femme au chapeau à plume)

Im Schloßmuseum im Schloß St. Johannisburg werden die Besucher mit der Stadtgeschichte, mit der Skulptur der Schloßbauzeit und dem Kunsthandwerk des 16. bis 20 Jh. sowie der Malerei des 17. bis 20. Jh. vertraut gemacht. (Bild links: Figuren der Steingutfabrik Damm bei Aschaffenburg).

Visitors to the Palace Museum in Schloß St. Johannisburg are familiarized with the city history, the sculpture of the time of construction of the palace and the handcraftsmanship of the 16th to the 20th century as well as with the painting of the 17th to the 20th century. (Picture on the left: figures of the stoneware factory Damm near Aschaffenburg)

Dans le musée du château, dans le château St. Johannisburg, les visiteurs peuvent se familiariser avec la sculpture contemporaine de la construction du château, les artisanats d'art du XVIème au XXème siècle ainsi que la peinture du XVIIème au XXème siècle.
(A gauche figures provenant de la manufacture de faïence de Damm, près d'Aschaffenburg.

Die Schwerpunkte des Stiftsmuseums bilden die Vor- und Frühgeschichte, römische Funde, vor allem aber die kirchliche Kunst bis zum 19. Jahrhundert aus dem Untermaingebiet. (Bild rechts: Muttergottes um 1485)

The focal points of the Stiftsmuseum are prehistory and early history, Roman finds, but above all ecclesiastical art up to the 19th century from the Lower Main area. (Picture on the right: Mother of God about 1485)

Dans le Stiftmuseum l'accent est mis sur la préhistoire, l'histoire ancienne, la période romaine et surtout sur l'art sacré de la région du bas Mein. (A droite: la mère de Dieu vers 1485)

Mit der größten Sportwagenschau der Welt eröffnete das Automuseum ROSSO BIANCO 1987 seine Tore. Rund 200, zum Teil sehr seltene oder gar einmalige Sportwagen präsentieren sich in fünf Hallen dem Besucher.

In 1987 the automobile museum ROSSO BIANCO opened its doors with the largest sports car show in the world. Approximately 200 sports cars, some of which were very rare or even unique, presented themselves to visitors in five display halls.

Le musée automobile ROSSO BIANCO ouvrit ses portes en 1987 avec la plus grand exposition au monde de voitures de sport. Cinq halls abritent environ 200 modèles trè rares ou même uniques.

Aschaffenburg am Wochenende

Wer sein Boot im zentral gelegenen Floßhafen liegen hat, kann auch schnell einmal nach Feierabend zu einer kleinen Fahrt in See stechen. Von der in unmittelbarer Nähe befindlichen Adenauerbrücke sollte man sich einen der schönsten Panoramablicke auf Aschaffenburg nicht entgehen lassen.

Those who keep their boats tied up in the centrally situated Floßhafen can quickly put to sea for a small voyage at the end of the working day. From the nearby Adenauer Bridge you should not miss one of the most beautiful panoramic views of Aschaffenburg.

Qui a mis l'ancre au port de Floßhafen situé non loin du centre, peut faire un petit tour en mer, après le travail. Le pont Adenauer, tout proche, offre une très belle vue sur la ville d'Aschaffenburg.

Gleich, ob man nun lieber in stillen Parks und schönen Anlagen spazieren gehen möchte, oder ob man sportlich aktiv sein will, z. B. als Freizeitkapitän im eigenen Boot – in Aschaffenburg findet jeder Gelegenheit, seine Freizeit individuell zu gestalten.

It does not matter whether one prefers a walk in tranquil parks and beautiful grounds, or whether one wishes to be sportingly active, e. g. as leisure-time captain in one's own boat – in Aschaffenburg everyone has the opportunity to make use of his spare time individually.

Soit que l'on aime se promener dans les beaux parcs silencieux ou que l'on préfère être actif et faire du sport, comme capitaine du dimanche, par exemple, dans son propre bateau, chacun peut s'adonner à son passe-temps favori.

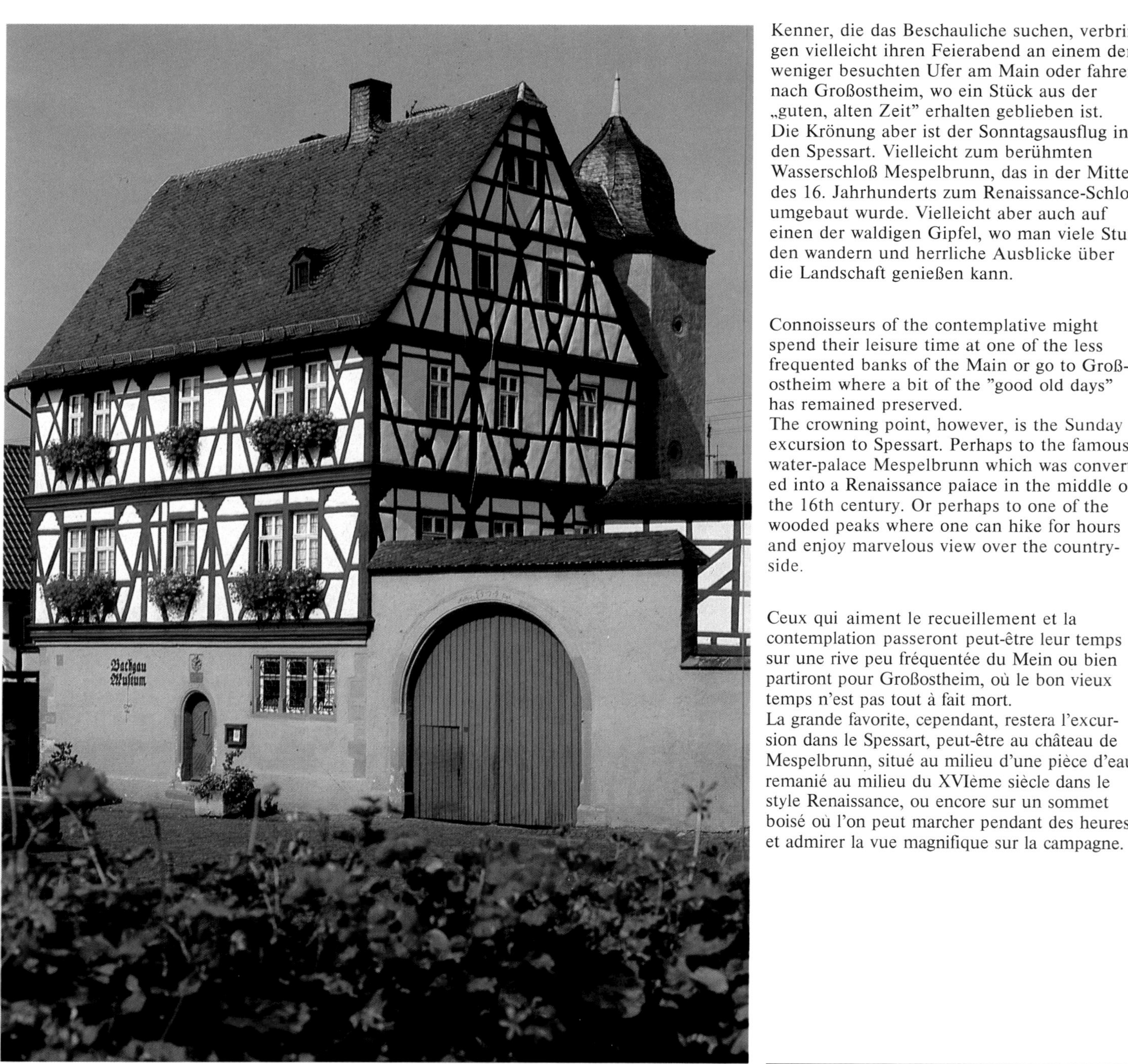

Kenner, die das Beschauliche suchen, verbrin
gen vielleicht ihren Feierabend an einem der weniger besuchten Ufer am Main oder fahren nach Großostheim, wo ein Stück aus der „guten, alten Zeit" erhalten geblieben ist.
Die Krönung aber ist der Sonntagsausflug in den Spessart. Vielleicht zum berühmten Wasserschloß Mespelbrunn, das in der Mitte des 16. Jahrhunderts zum Renaissance-Schloß umgebaut wurde. Vielleicht aber auch auf einen der waldigen Gipfel, wo man viele Stun
den wandern und herrliche Ausblicke über die Landschaft genießen kann.

Connoisseurs of the contemplative might spend their leisure time at one of the less frequented banks of the Main or go to Großostheim where a bit of the "good old days" has remained preserved.
The crowning point, however, is the Sunday excursion to Spessart. Perhaps to the famous water-palace Mespelbrunn which was converted into a Renaissance palace in the middle of the 16th century. Or perhaps to one of the wooded peaks where one can hike for hours and enjoy marvelous view over the countryside.

Ceux qui aiment le recueillement et la contemplation passeront peut-être leur temps sur une rive peu fréquentée du Mein ou bien partiront pour Großostheim, où le bon vieux temps n'est pas tout à fait mort.
La grande favorite, cependant, restera l'excursion dans le Spessart, peut-être au château de Mespelbrunn, situé au milieu d'une pièce d'eau remanié au milieu du XVIème siècle dans le style Renaissance, ou encore sur un sommet boisé où l'on peut marcher pendant des heures et admirer la vue magnifique sur la campagne.

Wer einige Kilometer Autofahrt nicht scheut, sollte einen kleinen Abstecher nach Lohr a.M machen und sich am Anblick dieser malerischen Fachwerkstadt erfreuen.

Those who are not put off by driving a few kilometers should make an excursion to Lohr a.M. and enjoy the beauty of the half-timbere houses in this picturesque town.

Qui ne craint pas de parcourir quelques kilomètres devrait faire un petit détour par Lohr-sur-le-Mein et en admirer les pittoresques constructions à colombages.

Aschaffenburg, 28.06.1996

Lieber Jamie,

zur Erinnerung an Deine Zeit
in Aschaffenburg vom 15. – 29. Juni 1996.

Herzlichst Deine
Gastfamilie
Michael, Andreas
Ladis und Sybille Wojtanowitsch